D0274599

Sgleinio'r Lleuad

I Hedd, Gwenno,
Wyre ac Alban.

Argraffiad cyntaf: 2014

Dymuna'r cyhoeddwyr gydnabod cymorth ariannol Cyngor Llyfrau Cymru.

Lluniau: Valériane Leblond

Rhif llyfr rhyngwladol: 978 1 84771 975 1

Cyhoeddwyd ac argraffwyd yng Nghymru
gan Y Lolfa Cyf., Talybont, Ceredigion, SY24 5HE
e-bost: ylolfa@ylolfa.com
y we: www.ylolfa.com
ffôn: 01970 832304
ffacs: 01970 832782

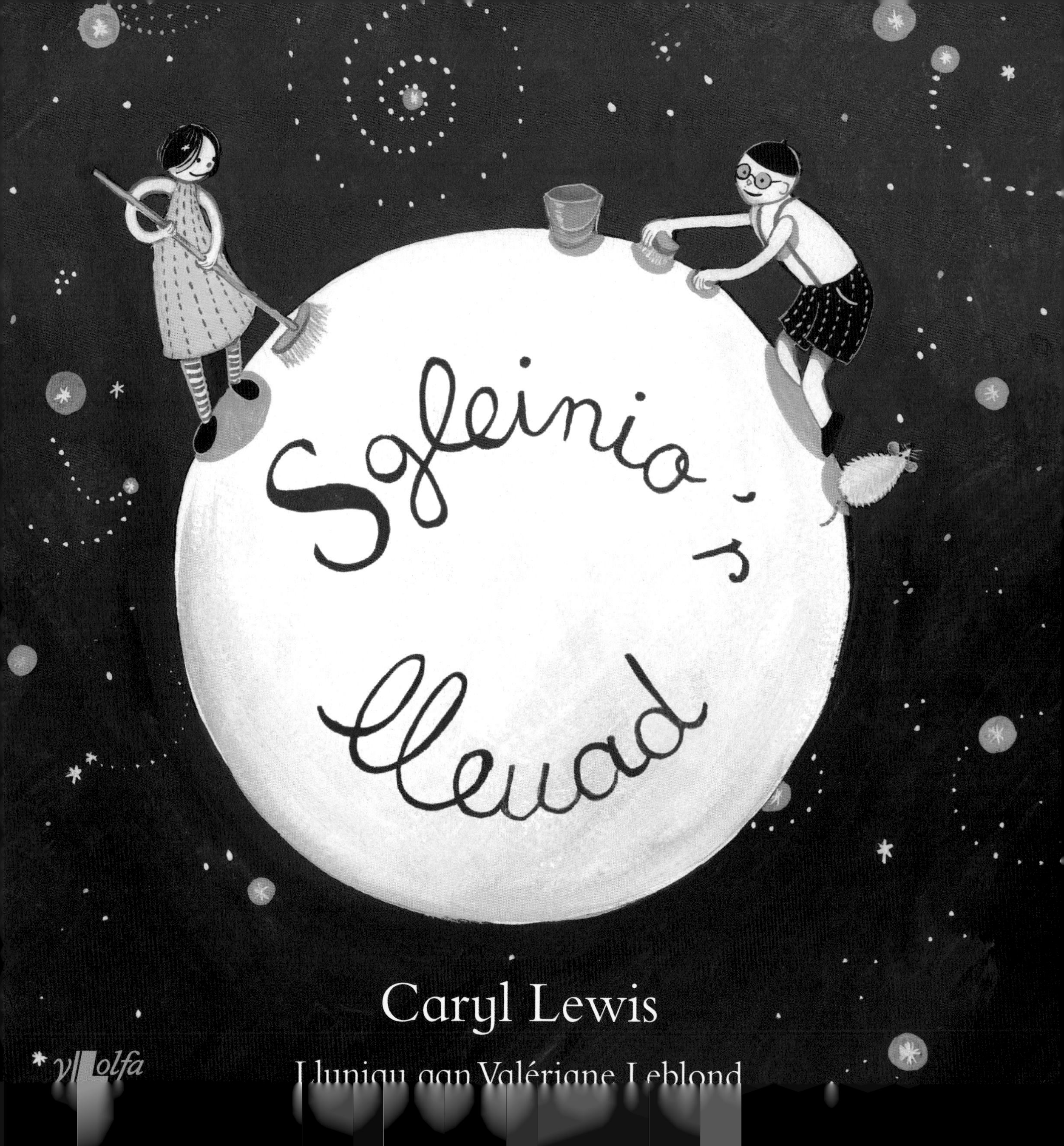
Sgleinio'r Lleuad
Caryl Lewis
y Lolfa
Lluniau gan Valériane Leblond

Roedd hi'n ddiwrnod bendigedig ar y lleuad, diwrnod perffaith ar gyfer glanhau. Eisteddai Bwbw yn ei chadair siglo yn magu llygoden y lleuad yn ei chôl.

"Dyna ni!' meddai Byrti. "Llond bwced arall o bolish lleuad yn barod at y gwaith." Roedd Byrti wrth ei fodd yn glanhau. "Wel," meddai Bwbw gan siglo'i phen yn ddifrifol, "dwi ddim yn siŵr. Mae'n amlwg i fi, Byrti, nad oes amser gan bobol i edrych ar y lleuad rhagor – os yw hi'n lân neu beidio."

Suddodd calon fach Byrti. Gwyddai fod Bwbw'n iawn. Roedd wedi edrych trwy'r telesgop a gweld digon o blant bochgoch a babis bach â bysedd traed blasus, ond doedd dim un yn edrych i fyny ar y lleuad.

"Tybed…?" meddai Bwbw, gan rwbio clust llygoden y lleuad rhwng ei bysedd. "Tybed beth fydd gan Pwnîc i'w ddweud?"

Dewisodd Byrti a Bwbw bâr o adenydd bob un o'r cwpwrdd dillad. Gwisgodd Byrti adenydd ysgafn golau, a gwisgodd Bwbw rai sgleiniog glas.

Chwifiodd y ddau hwyl fawr i lygoden y lleuad cyn hedfan dros y bryn ac ar draws y lleuad i dŷ Pwnîc.

Roedd Pwnîc yn cael bath. Fe chwiliodd am ei sbectol wrth glywed adenydd yn agosáu, a'u gosod ar ei drwyn.
"Helô, Pwnîc!" meddai Byrti a Bwbw gyda'i gilydd.
"O'r diwedd," meddai Pwnîc. "Dwi wedi bod yn eich disgwyl chi…"
Roedd Pwnîc yn gwybod pob peth.

"Does neb yn edrych ar y lleuad rhagor, er ein bod ni'n treulio oriau bob dydd yn ei glanhau. Beth wnawn ni?" gofynnodd Byrti.

Roedd Pwnîc yn siŵr o wybod yr ateb. Roedd gan Pwnîc yr ateb i bob cwestiwn.

Synfyfyriodd Pwnîc am amser hir. Gwyliodd Byrti a Bwbw'r bybls yn hedfan o gwmpas y bath mawr.

"Wel," meddai Pwnîc ar ôl seibiant hir, "dwi'n meddwl y dylech chi wneud dim byd…"

"Dim byd?!" meddai Byrti a Bwbw gyda'i gilydd.

"Yn gwmws! Dim byd o gwbwl," meddai Pwnîc cyn diflannu o'r golwg o dan ddŵr y bath.

Ar ôl cyrraedd adref, fe dynnodd Byrti a Bwbw eu hadenydd ac eistedd wrth y bwrdd bwyd i fwyta bisgedi sêr a bara lloer.
Bu'r ddau'n dawel am sbel.
"Wel, mae Pwnîc yn ddoeth iawn… Felly, dyna beth wnawn ni! Dim byd o gwbwl," meddai Byrti.
Dim ond gwenu wnaeth Bwbw.

Dyma Byrti a Bwbw yn pacio'r polish lleuad a'r clytiau, y peiriant perffeithio, y sudd sgleinio a'r cregyn glanhau yn y cwpwrdd a chau'r drws yn dynn.

Ar y diwrnod cyntaf o wneud dim byd,
fe eisteddodd y ddau
ac yfed te.

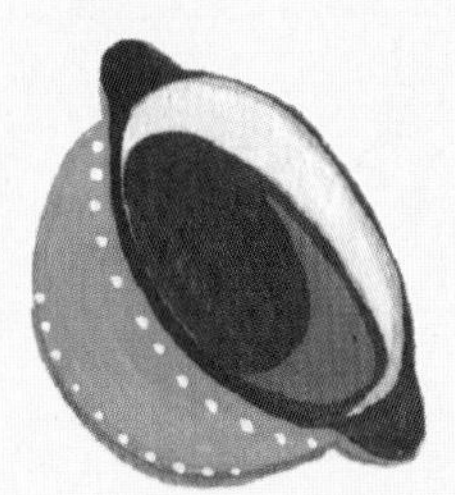

Ar yr ail ddiwrnod o wneud dim byd, fe siglodd y ddau ar y siglen yn y Goedwig Sêr.

Ar y trydydd diwrnod o
wneud dim byd, fe edrychodd
y ddau ar y blodau hardd yn
yr Ardd Arian.

Ar y pedwerydd diwrnod o wneud dim byd, fe ganodd y ddau ganeuon ar bwys y ffynnon ddŵr.

Ar y pumed diwrnod o wneud dim byd,
fe wyliodd y ddau yr ieir yn

pigo pigo pigo.

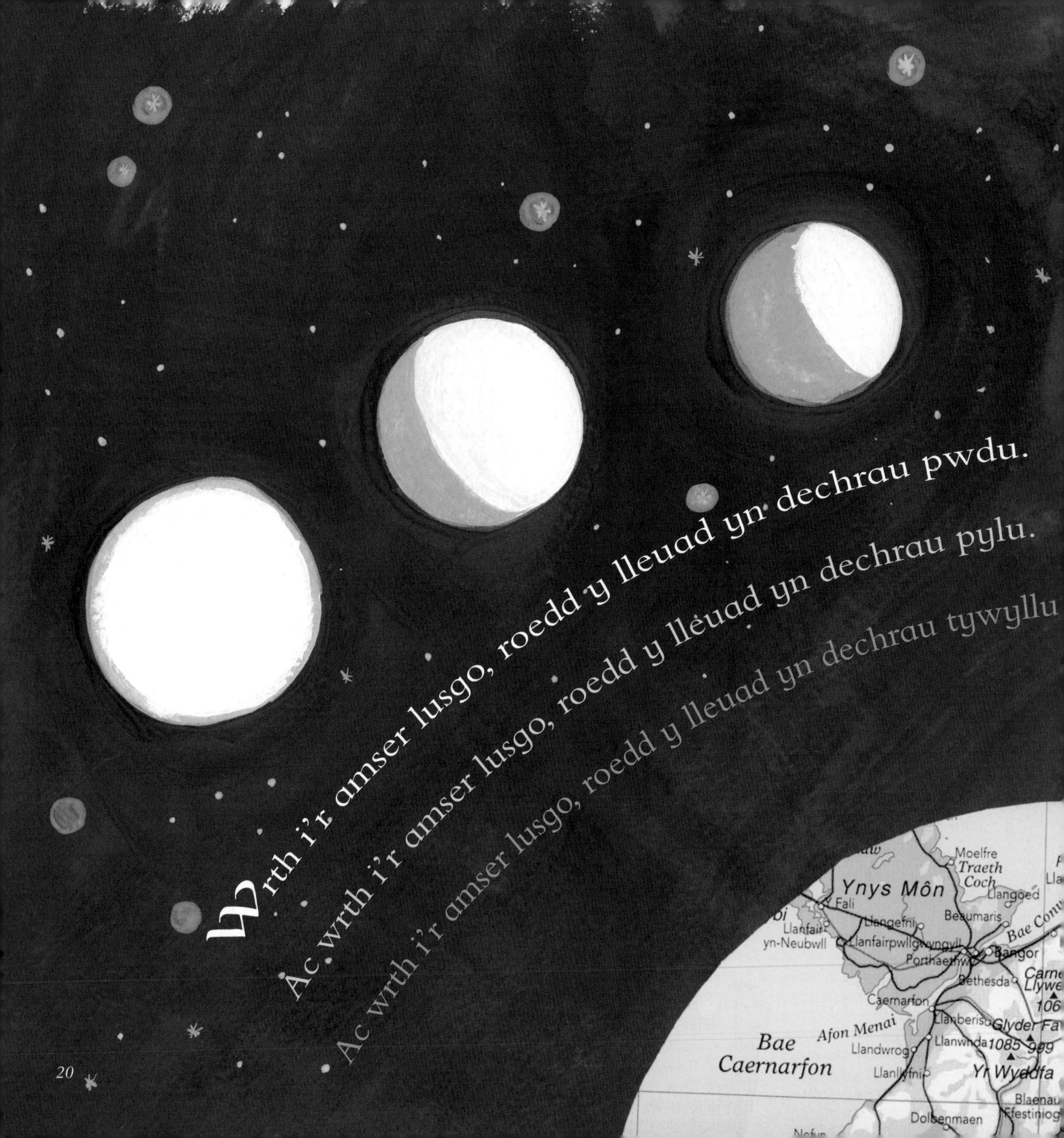
Wrth i'r amser lusgo, roedd y lleuad yn dechrau pwdu.
Ac wrth i'r amser lusgo, roedd y lleuad yn dechrau pylu.
Ac wrth i'r amser lusgo, roedd y lleuad yn dechrau tywyllu
Moelfre
Traeth Coch
Ynys Môn
Llangoed
Fali
Beaumaris
Llangefni
Llanfair-yn-Neubwll
Llanfairpwllgwyngyll
Bangor
Porthaethwy
Bethesda
Caernarfon
Afon Menai
Llanberis
Bae Caernarfon
Llandwrog
Llanwnda
1085
Llanllyfni
Yr Wyddfa
Blaenau Ffestiniog
Dolbenmaen

Pwdu,

pylu,

tywyllu.

Un diwrnod,
roedd y lleuad
bron yn…
ddu.

“Wel, dyna ni ’te,” meddai Byrti, gan fwrw ati i wau het newydd ar gyfer llygoden y lleuad.
“Dyna ddiwedd ar hynna…”

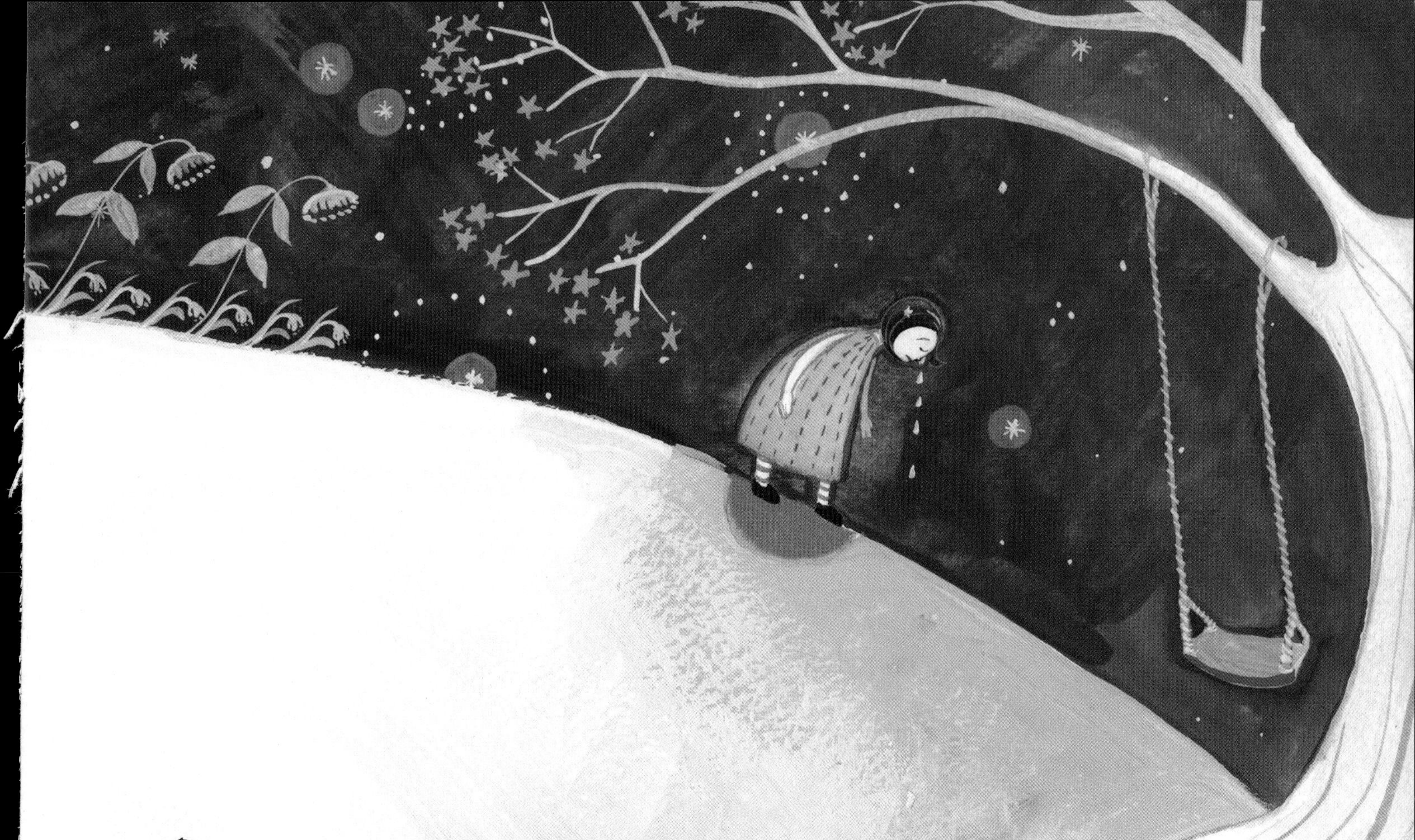

Roedd dagrau tewion, lliw arian
yn syrthio'n drist o lygaid Bwbw.
Doedd hyn ddim yn teimlo'n iawn o gwbwl.
Fe dynnodd anadl hir, hir, cyn cerdded i
weld y Goedwig Sêr ac ymlwybro'n
araf at yr Ardd Arian.

Fe safodd am ychydig ar bwys y ffynnon ac fe aeth i edrych ar yr ieir yn

pigo pigo pigo.

Fe osododd lantarn fan hyn a fan draw er mwyn gwneud y lle yn fwy cartrefol.

Yna, fe sylwodd ar y telesgop. Aeth ato ac edrych trwyddo.

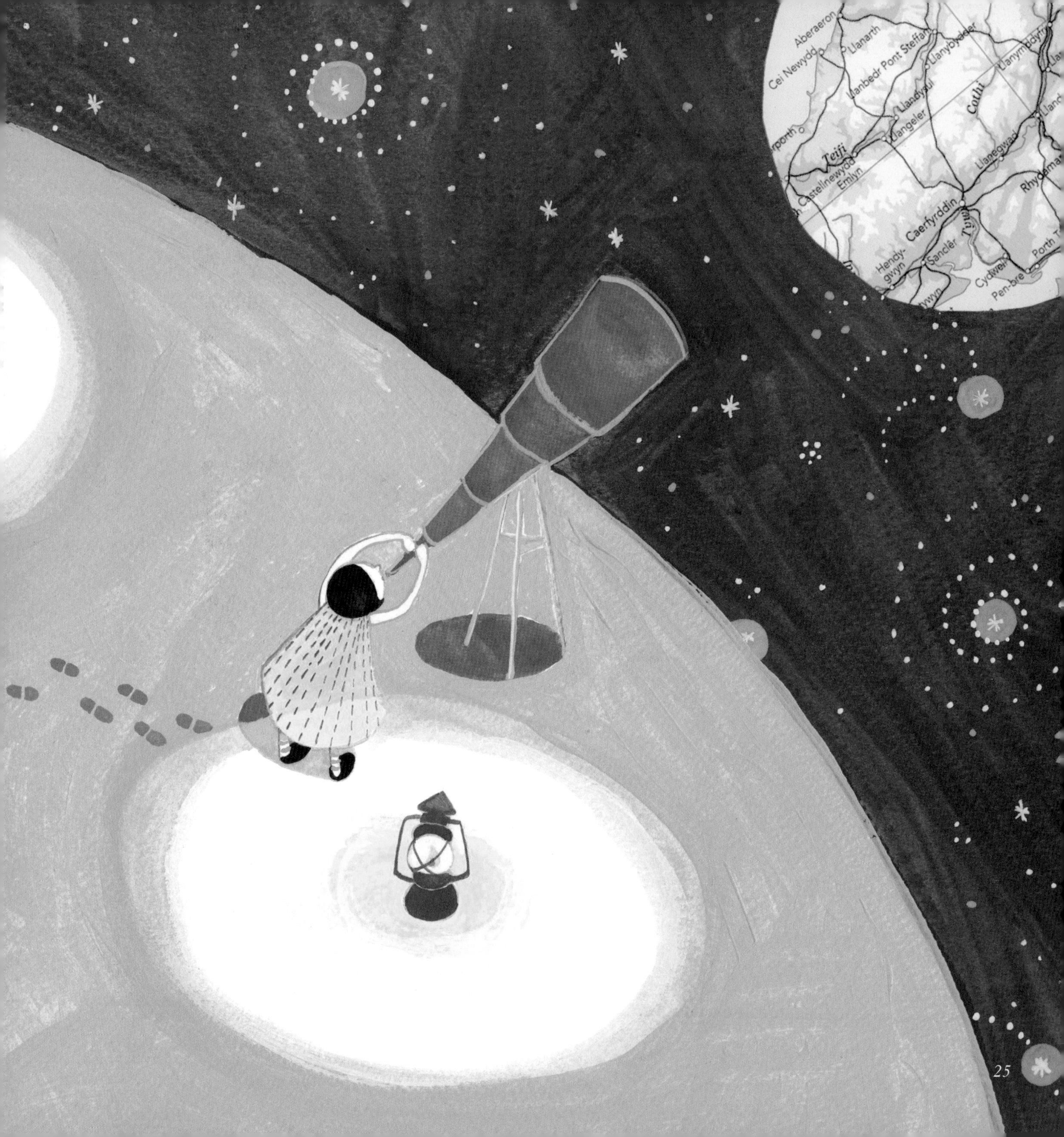
Aberaeron
Llanarth
Cei Newydd
Llanbedr Pont Steffan
Llanybydder
Llandysul
Llangeler
Cothi
Teifi
Castellnewydd Emlyn
Llanegwad
Caerfyrddin
Hendy-gwyn
Sanclêr
Pen-bre

Roedd y ddaear i gyd yn dywyll.
Oherwydd nad oedd lleuad,
doedd yr haul ddim yn gwybod pryd i ddihuno.

Heb haul y bore,
roedd pawb yn hwyr
i'w gwaith.

Roedd y plant yn
methu mynd i'r ysgol...

...a doedd yr adar bach ddim
yn gwybod pryd i ganu.

Roedd y blodau haul
wedi drysu...

...a'r moroedd mawr ddim yn gwybod
a oedden nhw'n mynd neu'n dod.

"O diar," meddai Bwbw. "O diar, diar!"
Ac yna, digwyddodd rhywbeth rhyfeddol...

Gwelodd Bwbw drwy'r telesgop fod pawb ar y ddaear yn edrych i fyny ar y lleuad.
Plant bochgoch a babis bach â bysedd traed blasus.
Pawb.
Wyneb ar ôl wyneb.
"O diar!" meddai Bwbw. "Maen nhw'n edrych yn drist iawn."

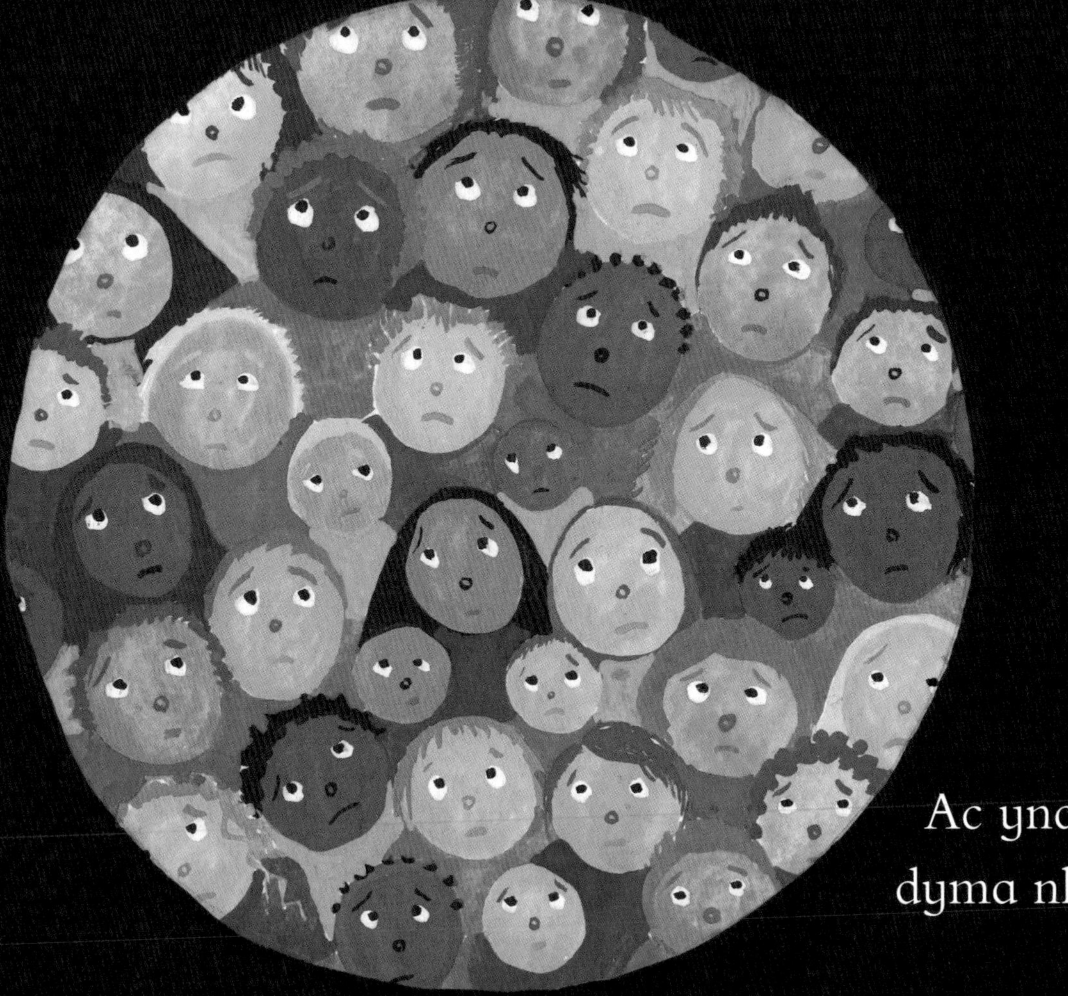

Ac yna,
dyma nhw'n cyrraedd!

Un ar ôl y llall.
Un, dwy, tair…
yn codi,
i fyny ac i fyny,
yn uwch ac yn uwch.

Yn dawel, yn ddistaw,
yn osgeiddig.

Roedd yr awyr yn llenwi â golau
cyfeillgar y lampau papur.

Dyma'r olygfa fwyaf
hudolus i Bwbw ei gweld erioed.
Gwyliodd Byrti a Bwbw eu byd
i gyd yn llenwi â miloedd
o oleuadau.

Rhai'n lliwgar, rhai'n sgleinio, rhai'n disgleirio.
Fe wenodd Byrti a Bwbw ac fe grychodd
llygoden y lleuad ei thrwyn ac edrych
yn blês iawn.
"Dwi'n meddwl eu bod nhw'n ceisio
dweud rhywbeth wrthon ni,"
meddai Byrti.

"Efallai nad yw pobol yn sylwi ar yr holl waith caled ry'ch chi'n ei wneud…" meddai Byrti. "… tan y'ch chi wneud dim byd o gwbwl," gwenodd Bwbw.

Ac wrth i Byrti a Bwbw ddechrau sgleinio'r lleuad unwaith eto, roedd sŵn chwerthin uchel Pwnîc i'w glywed draw ymhell dros y bryn.

Hi hi hi!

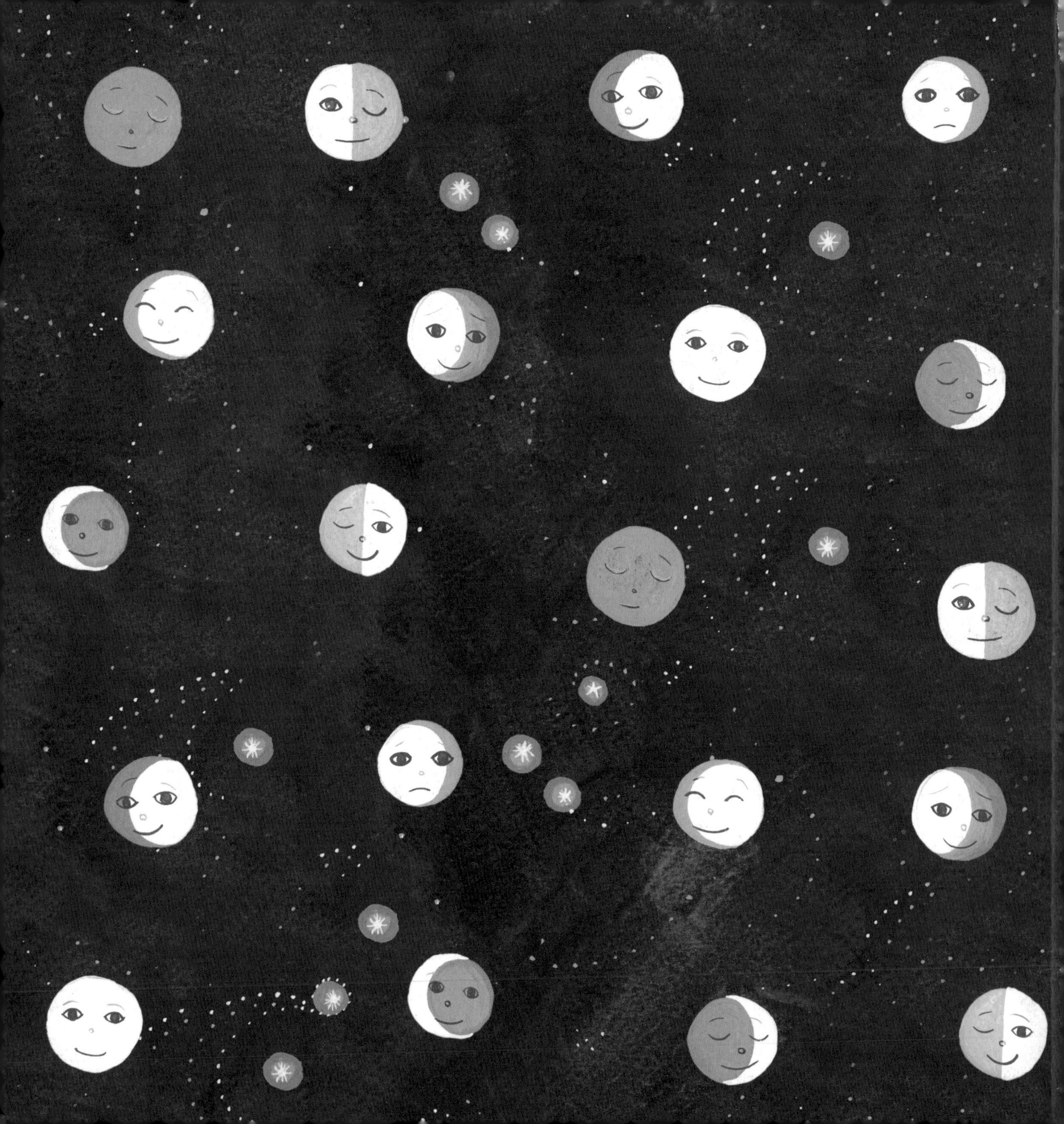